«Quien se aferra al nido
no sabe lo que es el mundo,
no sabe lo que todos los pájaros saben
y tampoco por qué quiero cantar
la creación y su belleza».

ANÓNIMO, *La canzone dell'uccello*, 1941

de *La Shoa dei bambini: poesia e disegni
da Theresienstadt*, Udine, Instituto friulano
para la historia del movimiento de liberación, 2004

Puedes consultar nuestro catálogo en www.picarona.net

EL VUELO DE SARA
Texto: *Lorenza Farina*
Ilustraciones: *Sonia M. L. Possentini*

1.ª edición: octubre de 2018

Título original: *Il volo di Sara*

Traducción: *Laura Fanton*
Maquetación: *Isabel Estrada*
Corrección: *Sara Moreno*

© 2011, Fatatrac, marca de Edizioni del Borgo, S.r.l.,
Casalecchio di Reno (Bolonia), Italia.
www.fatatrac.it
www.edizionidelborgo.it
(Reservados todos los derechos)

© 2018, Ediciones Obelisco, S. L.
www.edicionesobelisco.com
(Reservados los derechos para la lengua española)

Edita: Picarona, sello infantil de Ediciones Obelisco, S. L.
Collita, 23-25. Pol. Ind. Molí de la Bastida
08191 Rubí - Barcelona - España
Tel. 93 309 85 25 - Fax 93 309 85 23
E-mail: picarona@picarona.net

ISBN: 978-84-9145-209-6
Depósito Legal: B-22.803-2018

Printed in Spain

Impreso por ANMAN, Gràfiques del Vallès, S. L.
C/ Llobateres, 16-18, Tallers 7 - Nau 10, Polígon Industrial Santiga
08210 Barberà del Vallès - Barcelona

Lorenza Farina

EL VUELO DE SARA

Ilustraciones:
Sonia M. L. Possentini

Era el final de una tarde de noviembre.

Estaba posado en la rama de un árbol desnudo.

Miré a mi alrededor: sólo había barracones grises cercados
por verjas de alambre de espino.

Entre el barro y la suciedad deambulaban hombres esqueléticos.

En el aire había un olor agrio y nauseabundo que ni el viento
conseguía disipar. Arriba, en una torre, unos amenazadores
soldados montaban guardia con los fusiles a punto.

De repente, escuché el silbido de un tren a lo lejos.

En cuanto lo vi, noté que se parecía a un tren de ganado
con muchos vagones, cerrados desde el exterior por barras de hierro.

El tren, traqueteando sobre los raíles, terminó su viaje justo al entrar
en el campo.

Los soldados corrían de un vagón a otro, dando órdenes a gritos,
con los perros tirando de las correas y ladrando como locos.

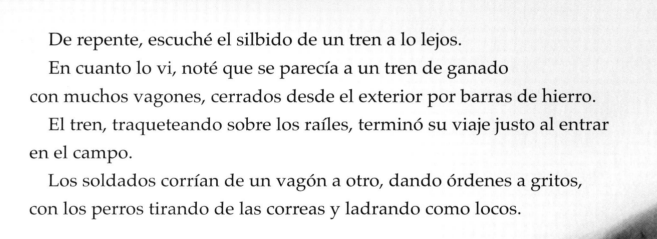

Las puertas se abrieron de par en par con un gran estruendo.
De los vagones bajaron mujeres, niños y ancianos que fueron
agrupados en filas. Leí el terror en sus caras.
Fue entonces cuando la vi.

Me impactaron sus ojos grandes en la cara diminuta,
el pelo oscuro recogido por una cinta azul. El mismo color
del vestido de lana que asomaba por el borde del abrigo
gris. Debía de tener seis o siete años, pero parecía
más pequeña.

Se aferraba a su madre.

De repente, la niña levantó la mirada y me vio.

—Mamá, mira, un petirrojo –murmuró, apenas
sonriendo.

La madre ni siquiera tuvo tiempo de contestarle, porque
el tirón violento de un soldado la separó de la niña.

—¡Sara! ¡Sara! –gritó la mujer alargando los brazos
para retenerla.

—¡Mamá! ¡Mamá! –intentó gritar la niña, pero de su boca
no salió ningún sonido, como si estuviera paralizada.

Fue entonces cuando decidí que nunca la dejaría sola. Yo le haría de madre y de padre, yo sería su voz.

Los soldados encerraron a Sara en un barracón de madera,
le hicieron quitarse el vestido azul que su mamá le había cosido
con sus propias manos.

La obligaron a ponerse un uniforme de rayas, de una talla mucho
mayor que la suya, con una estrella amarilla cosida en el pecho.

Luego le cortaron sus hermosos cabellos oscuros, que se deslizaron
como plumas hacia el suelo, junto con la cinta azul que los recogía.

La hicieron acostarse en una litera, hacinada junto a otros niños,
con frío y tan asustados como ella.

Llegó la noche oscura. Me introduje a escondidas en el barracón
a través del cristal roto de una ventana. Me acerqué a ella,
que estaba allí inmóvil, con los ojos bien abiertos tratando de buscar
un poco de luz en aquel lugar desconocido y horroroso. Con las plumas
de mis alas acaricié suavemente sus mejillas. Sentí que su cara estaba
helada. En cuanto notó mi presencia, Sara se levantó despacio y,
en la oscuridad iluminada a ratos por los haces de luz que provenían
de los faros de la torre de vigilancia, pude ver sus manos, que batía
lentamente como si fuesen alas. Era su forma silenciosa de decirme
que quería volar lejos, muy lejos.

Por la noche le hacía compañía y le cantaba en voz baja al oído las historias que había escuchado de mis amigos pájaros.

Ella escuchaba en silencio, cautivada, hasta que el sueño la tomaba de la mano.

Durante el día recogía del campo todo lo que podía para calmar un poco su hambre: migas de pan, pieles de patatas, legumbres secas, algunas hojas de col o de nabo.

Pero Sara estaba cada vez más delgada y más pálida.

Parecía un pajarito asustado.

Una mañana ya no la encontré en el barracón.
Desesperado la busqué sobrevolando todo el campo.
De una alta chimenea salía humo, lentamente.
Al final, la encontré haciendo cola con otros niños.

Al escuchar mi gorjeo, Sara se giró rápidamente, sonriéndome
con tristeza. Luego batió muy lentamente sus brazos gráciles,
como si estuviera a punto de despegar.

Me acerqué a ella, sin preocuparme por los gruñidos de los perros.

Fue en aquel momento cuando decidí prestarle mis alas
para que huyera de aquel lugar lo antes posible.

La vi elevarse hacia el cielo, que ya no era gris, sino azul como
el vestido que ahora llevaba, como la cinta que recogía su pelo.

Desde las copas de los árboles desnudos, aves llegadas de todo
el mundo levantaron el vuelo.

Gorriones, petirrojos y mirlos prestaron sus alas a otros niños que,
igual que Sara, querían volar lejos.

Sara iba a la cabeza de la bandada, era la más rápida de todos.

Luego desapareció entre las nubes mientras alrededor
se levantaba un coro de chirridos, trinos y gorjeos.